# 이 책의 특징

---

❶ 오선 악보를 모르는 분들도 숫자 악보를 이용해 쉽게 연주할 수 있어요.

❷ 반음 없는 편곡과 전곡 다장조로 되어 있어 모든 곡에 조율이 필요 없어요.

❸ 손의 동선을 고려한 편곡으로 연주할 때 손 모양이나 손가락 이동이 편리해요.

❹ 원곡의 느낌을 최대한 살린 편곡으로 한 곡을 연주해도 완성도가 높아요.

❺ 모범 연주 영상을 보며 따라할 수 있어요.

❻ QR코드를 통해 멜로디와 반주 파트를 구분한 음원을 쉽게 이용할 수 있어요. 멜로디를 연습할 때는 멜로디 MR로 연습하고, 연습 후에는 반주 MR에 맞춰 연주해볼 수 있어요. 반대로 멜로디 MR에 맞춰 반주 파트만 따로 연습할 수도 있어요.
(효율적인 연습을 위해 MR은 실제 빠르기보다 조금 더 느리게 되어 있어요.)

❼ MR에 맞춰 멜로디와 반주 파트를 따로 연습하면 어렵지 않게 솔로 연주를 완성할 수 있어요.

❽ 난이도를 표시하여 난이도에 따라 골라서 연습할 수 있어요.

❾ 예쁜 솔로 편곡으로 한 곡씩 연습하다 보면 어느새 나도 멋진 칼림바 연주자가 되어 있을 거예요.

❿ 기초가 부족하다고 생각하는 분들은 저자의 칼림바 배우기 영상을 통해 더 심도있는 학습이 가능해요.

---

# 차례

악보를 몰라도

숫자만 알면

# 칼/림/바

K · A · L · I · M · B · A

score♪

# 머리말

----------------------------------------

    여러 악기에 관심이 많아서 다양한 악기를 배우고 연주를 해왔지만 칼림바라는 악기를 처음 접했을 때는 신선한 충격을 받았습니다. 오르골 같기도 하고 실로폰 같기도 하지만, 때로는 전혀 다른 너무나 아름다운 소리를 내고 있었기 때문입니다. 더욱 놀라운 것은 이 작은 악기로 멜로디와 반주를 동시에 연주할 수 있다는 것과 '엄지 피아노'라고도 불리는 이름에 걸맞게 혼자서도 여러 가지 다양한 곡들과 아름 다운 연주가 가능하다는 사실이었습니다.

    칼림바에 빠진 이후로 칼림바를 위한 악보를 찾아보았지만 시중에는 거의 없는 상황이었습니다. 그래서 연주를 하기 위해 칼림바를 위한 곡을 편곡하기 시작하였 고 지금까지 계속 이어지고 있습니다.

    이 책에 실린 악보는 17개의 음을 이용해 최대한 아름다운 음악이 될 수 있도록 편곡에 신경 썼고, 칼림바를 배우고 연주하며 궁금했던 내용들을 Q&A 형식으로 실어 실전에 도움이 되도록 하였습니다. 또한, 음악을 잘 모르거나 악보를 볼 줄 몰 라도 숫자 악보와 연주 영상을 통해 쉽게 따라할 수 있으며, 칼림바에 대한 기초 지 식이 부족하다면 QR코드 영상을 통해 배울 수 있게 하였습니다. 따라서, 칼림바를 처음 배우는 분들에게 많은 도움이 되리라 생각합니다.

    칼림바라는 작지만 너무도 소중한 악기를 통해, 악보를 찾는 분들과 칼림바를 좋 아하는 많은 분들에게 직접 악기를 연주하며 음악의 기쁨을 누리는 데 이 책이 도 움이 되길 바라고 기대합니다.

----------------------------------------

조이 칼림바(이희재)

# 할아버지의 낡은 시계

외국 곡

칼림바 음계를 익힌 사람이라면 누구나 연주할 수 있는 아주 단순한 반주가 있는 편곡이에요. 반주가 포함된 곡의 연주가 처음이라면 멜로디와 반주 파트를 따로 연습한 후에 합쳐서 연주해 보세요.

연습용 MR

모범 연주     멜로디    반주

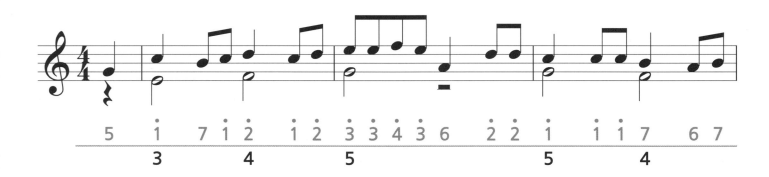

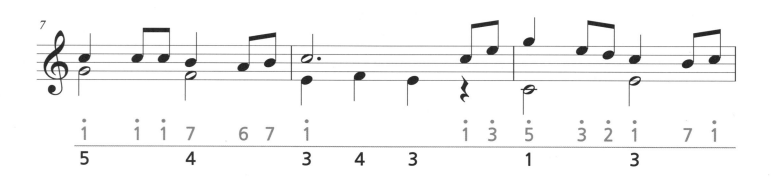

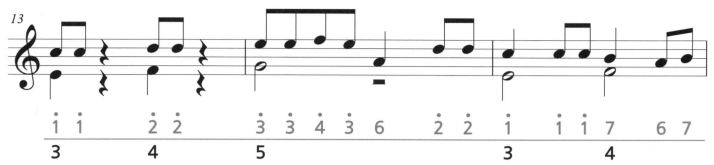

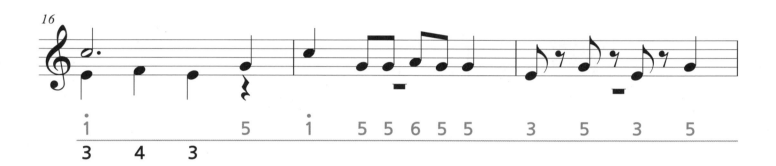

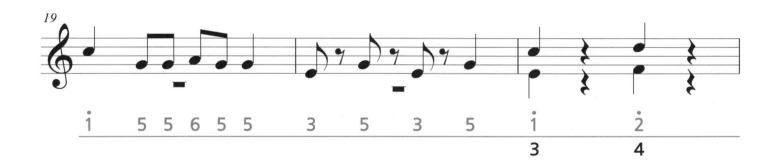

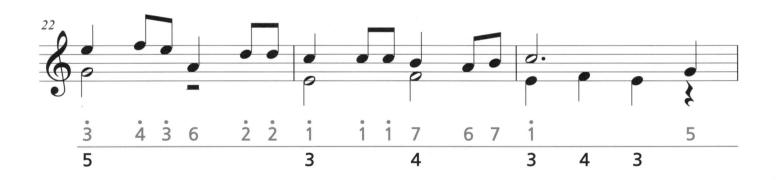

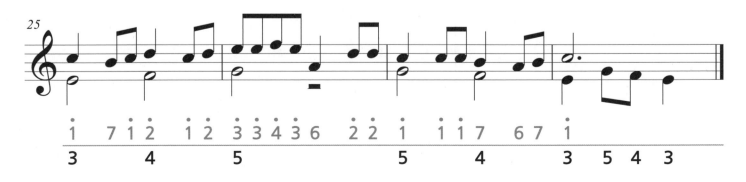

# 고요한 밤 거룩한 밤

F. X. Grüber 작곡

음을 펼쳐서 연주하는 아르페지오 반주와 두 음
을 동시에 연주하는 간단한 화음이에요. 손가락에
힘을 빼고 천천히 연습해 보세요.

난이도

★★☆☆

연습용 MR

모범 연주 　　 멜로디 　 반주

8

# 월량대표아적심

영화 〈첨밀밀〉 OST

Sun Yi (HK), Weng Qing Xi 작곡

연습용 MR

모범 연주   멜로디   반주

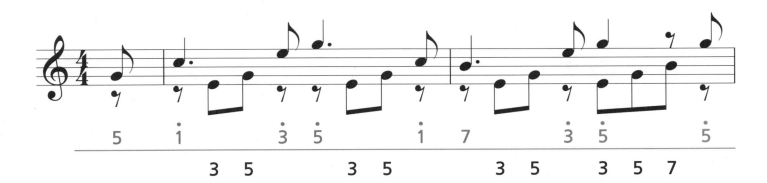

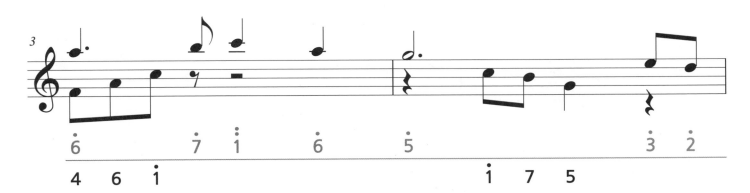

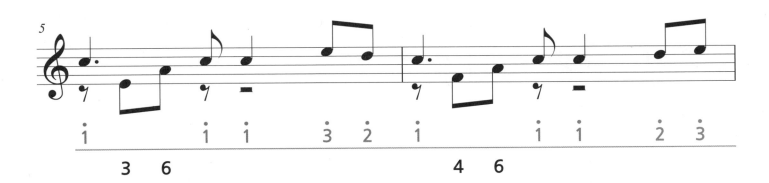

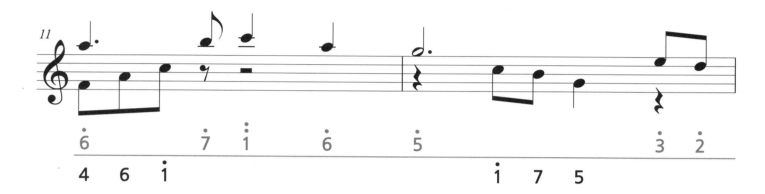
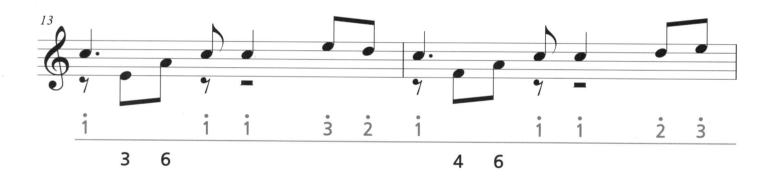

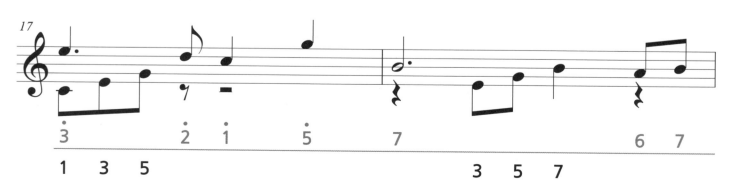

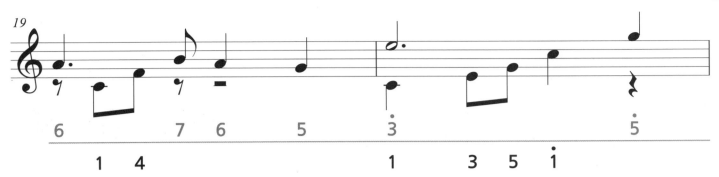

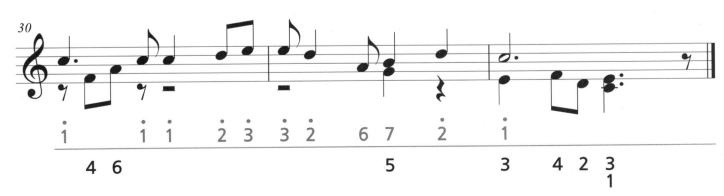

# Nella Fantasia

영화 〈미션〉 OST

Morricone Ennio 작곡

모범 연주

연습용 MR

멜로디

반주

난이도

★★☆☆☆

다른 곡에서도 자주 접하게 될 셋잇단음표의
느낌을 잘 살려서 연습해 보세요.

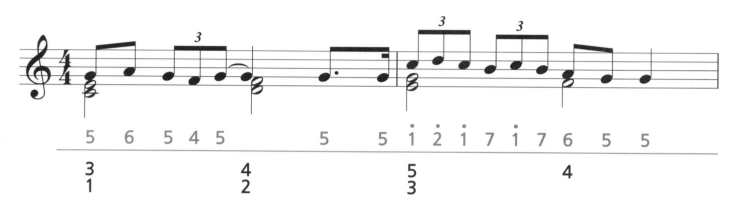

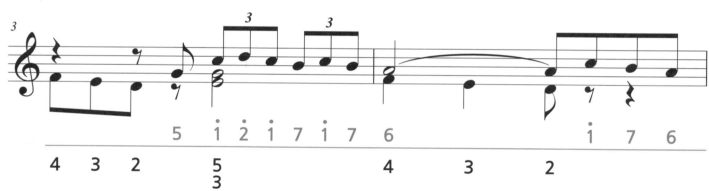

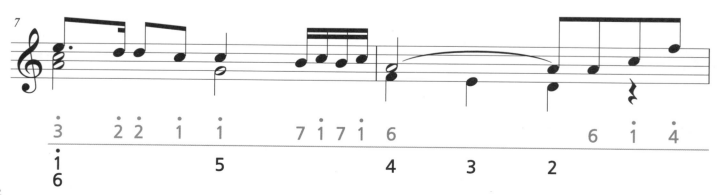

# 바다가 보이는 마을

애니메이션 〈마녀배달부 키키〉 OST

Hisaishi Joe 작곡

★☆☆☆

여러 음을 연속해서 반복 연주하는 연타 부분은
손톱 소리에 주의하며 연주해 보세요.

모범 연주

연습용 MR

멜로디 　반주

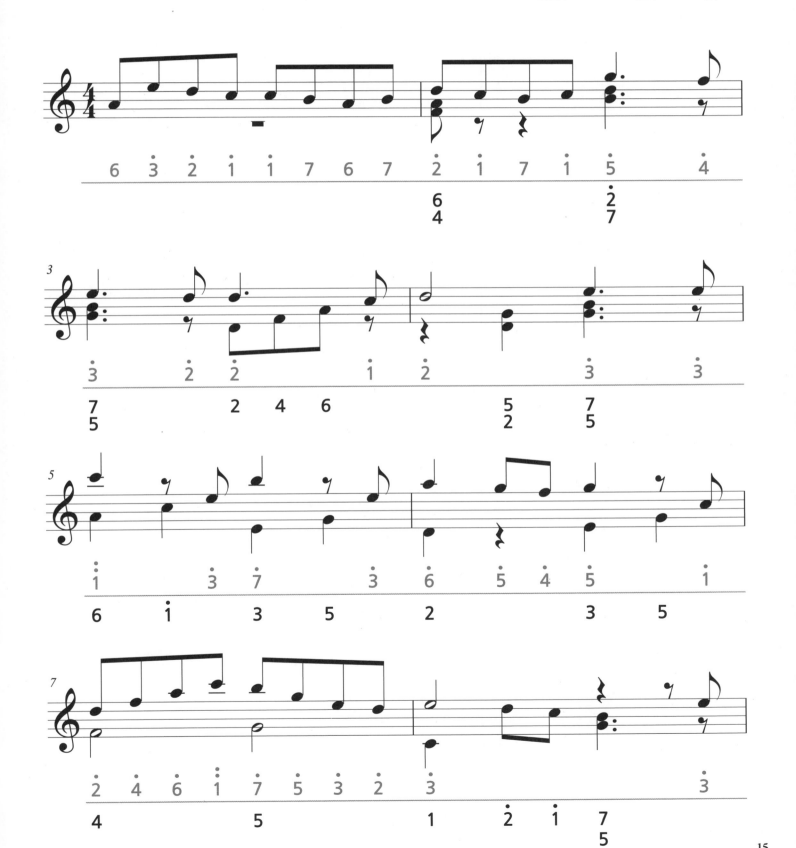

# Perhaps Love

Denver John 작곡

연습용 MR

모범 연주 　　　 멜로디 　　 반주

18

# 너의 의미

김창완 작곡

연습용 MR

모범 연주    멜로디    반주

난이도

★★☆☆

리듬이 까다로운 곡이지만 노래를 반복적으로
들으며 따라 부르거나 칼림바 모범 연주를 들으며
멜로디를 익히면 어렵지 않게 연주할 수 있어요.

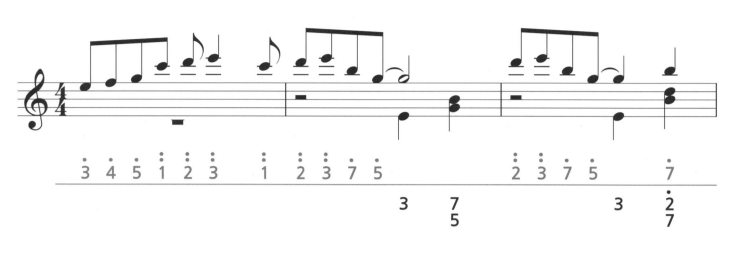

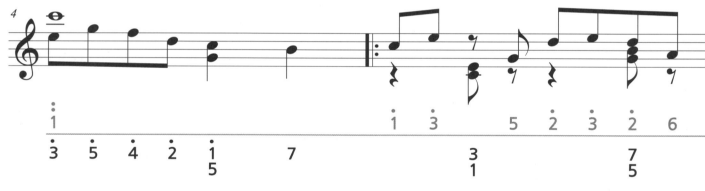

22

# Moon River

영화 〈티파니에서의 아침을〉 OST

Mercer John H , Mancini Henry 작곡

모범 연주

연습용 MR

멜로디   반주

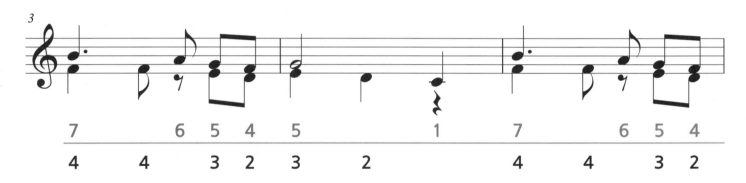

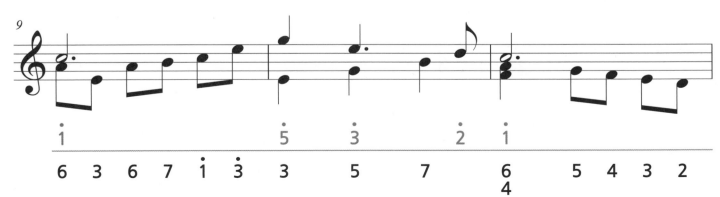

# 크리스마스에는 축복을

김현철 작곡

연습용 MR

모범 연주　　　멜로디　　반주

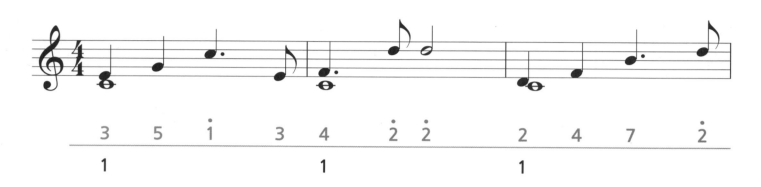

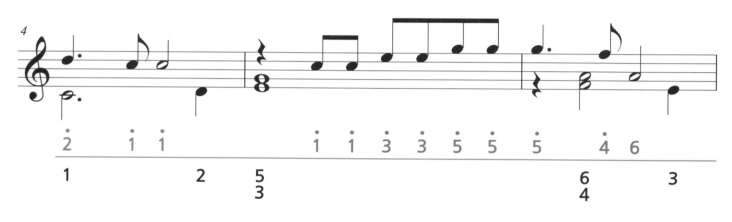

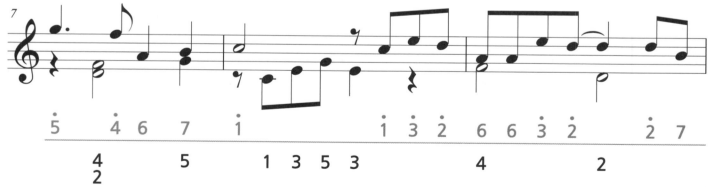

# 산골 소년의 사랑 이야기

예민 작곡

연습용 MR

모범 연주　　　　멜로디　　반주

# A Time For Us

영화 〈로미오와 줄리엣〉 OST

Kusik Larry, Rota Rinaldi Nino, Snyder Eddie 작곡

연습용 MR

모범 연주          멜로디      반주

난이도

★★☆☆

# 언제나 몇 번이라도

애니메이션 〈센과 치히로의 행방불명〉 OST

Kimura Yumi 작곡

모범 연주

연습용 MR

멜로디

반주

**Q** 칼림바를 구입하면 들어있는
빨강, 초록색의 막대 모양
스티커는 어디에 쓰는 거예요?

**A**

칼림바를 연주할 때 사용되는 악보에는 여러 가지 형태가 있는데 많이 쓰이는 악보로는 이미 잘 알려진 오선 악보와 숫자로 음을 나타낸 숫자 악보, 칼림바 건반 위치를 표시하는 타브 악보 등이 있어요.

빨강과 초록색 등의 스티커는 타브 악보를 볼 때 건반에 붙여서 건반을 쉽게 찾기 위한 것입니다. 하지만 타브 악보는 보기가 불편해서 최근엔 오선 악보나 숫자 악보를 주로 많이 사용하기 때문에 타브 악보를 사용하지 않을 때는 스티커가 필요하지 않아요.

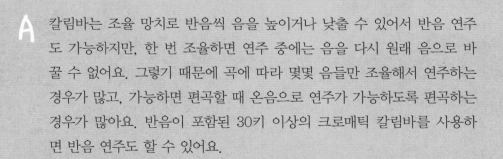

**Q** 칼림바로 반음 연주가
가능할까요?

**A** 칼림바는 조율 망치로 반음씩 음을 높이거나 낮출 수 있어서 반음 연주도 가능하지만, 한 번 조율하면 연주 중에는 음을 다시 원래 음으로 바꿀 수 없어요. 그렇기 때문에 곡에 따라 몇몇 음들만 조율해서 연주하는 경우가 많고, 가능하면 편곡할 때 온음으로 연주가 가능하도록 편곡하는 경우가 많아요. 반음이 포함된 30키 이상의 크로매틱 칼림바를 사용하면 반음 연주도 할 수 있어요.

# 시대를 초월한 마음

애니메이션 〈이누야샤〉 OST

Wada Kaoru 작곡

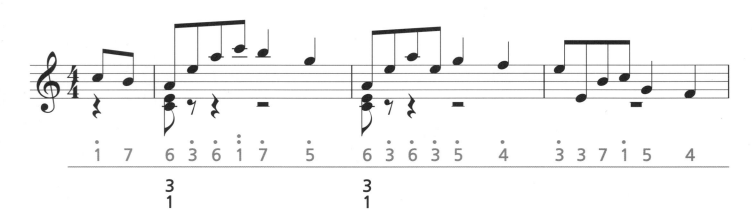

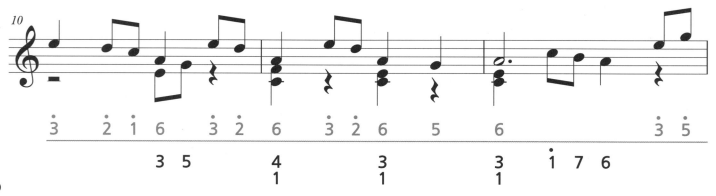

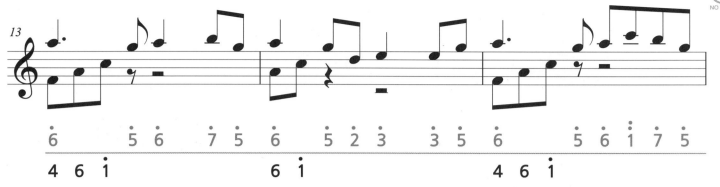

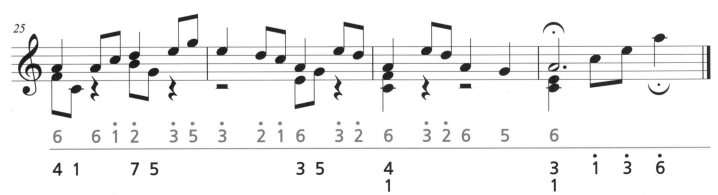

# 너를 태우고

애니메이션 〈천공의 성 라퓨타〉 OST

Hisaishi Jou, Miyazaki Hayao 작곡

난이도
★★☆☆

모범 연주　　　멜로디　　　반주

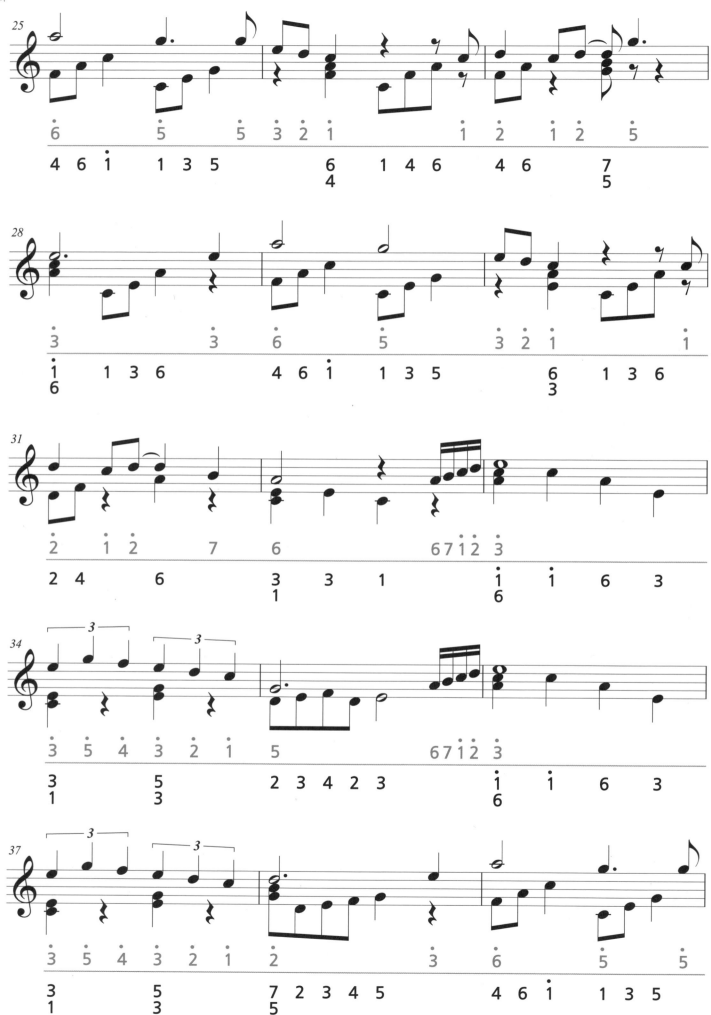

# Love Me Tender

Presley Elvis A, Matson Vera 작곡

연습용 MR

모범 연주   멜로디   반주

난이도

★★☆☆

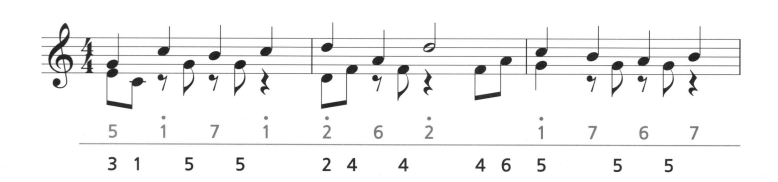

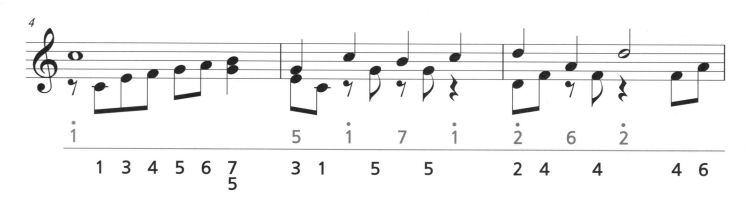

# 비와 당신

tvN 드라마 〈슬기로운 의사생활 시즌2〉 OST

방준석 작곡

난이도
★★☆☆

연습용 MR

모범 연주  　멜로디 　반주

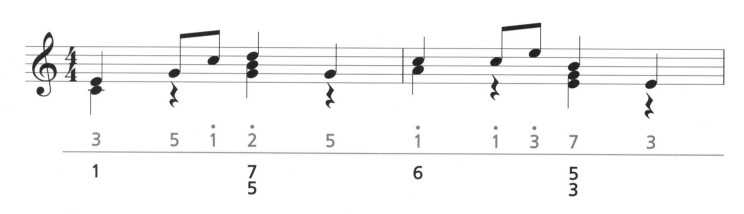

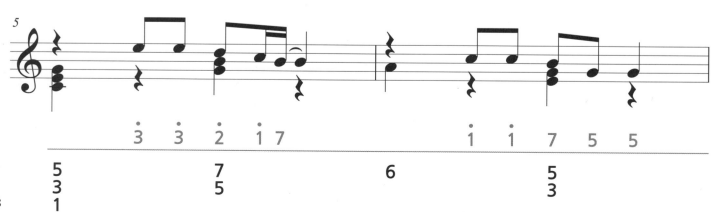

**Q** 다장조가 아닌 곡들은 어떻게 연주해요?

**A** 첫째, 다장조로 편곡하여 연주하거나
둘째, 칼림바를 조율하여 조를 바꿔서 연주하는 방법이 있어요. 예를 들면, 바장조(F장조)의 경우 시(B음, 숫자 악보로는 7음) 음을 반음 내리는 조율로 바꿔서 할 수 있어요. 같은 방법으로, 사장조(G장조)의 경우 파(F음, 숫자 악보로는 4음) 음을 조율 망치로 반음 높여서 연주할 수 있어요.

**Q** C키, B키, F키 칼림바가 뭐예요?

**A** C키 칼림바는 연주하기 가장 쉬운 다장조로 만들어진 칼림바를 말해요. B키 칼림바는 C키에 비해 음이 전체적으로 반음 낮은 칼림바이고, F키는 C키에 비해 5음이 낮은 칼림바예요. 같은 곡도 C키의 칼림바로 연주하는 것과 더 낮은 F키로 연주하는 것은 매우 다른 느낌의 소리가 나요. 우리가 노래 부를 때 같은 곡을 높게 부를 수도 있고 낮게 부를 수도 있는 것처럼요.
칼림바를 구입할 때는 어떤 키의 칼림바로 연주할지 결정하고 구입해야 하는데 처음에는 C키의 칼림바를 구입하는 것이 조율할 때나 시중의 칼림바 악보를 사용하여 연주할 때 편리해요.

**Q** C키가 아닌 B키나 F키 칼림바는 악보를 보고 연주하는 방법이 달라요?

**A** 노래를 부를 때 높은 음으로 시작하든 낮은 음으로 시작하든 같은 노래를 부를 수 있는 것처럼 칼림바도 오선 악보는 C키 칼림바와 동일하게 되어 있고, 숫자 악보는 칼림바와 같은 숫자를 연주하게 되므로 연주 방법은 똑같아요.

# 벚꽃 엔딩

장범준 작곡

난이도

★★☆☆

원곡 노래와 칼림바 모범 연주를 들으며 당김음과
엇박자 리듬에 주의하여 연주해 보세요.

연습용 MR

모범 연주 　　　 멜로디 　 반주

# 여수 밤바다

장범준 작곡

연습용 MR

모범 연주          멜로디      반주

난이도

★★☆☆

원곡과 칼림바 모범 연주를 들어보고 리듬을 살려
연주해 보세요.

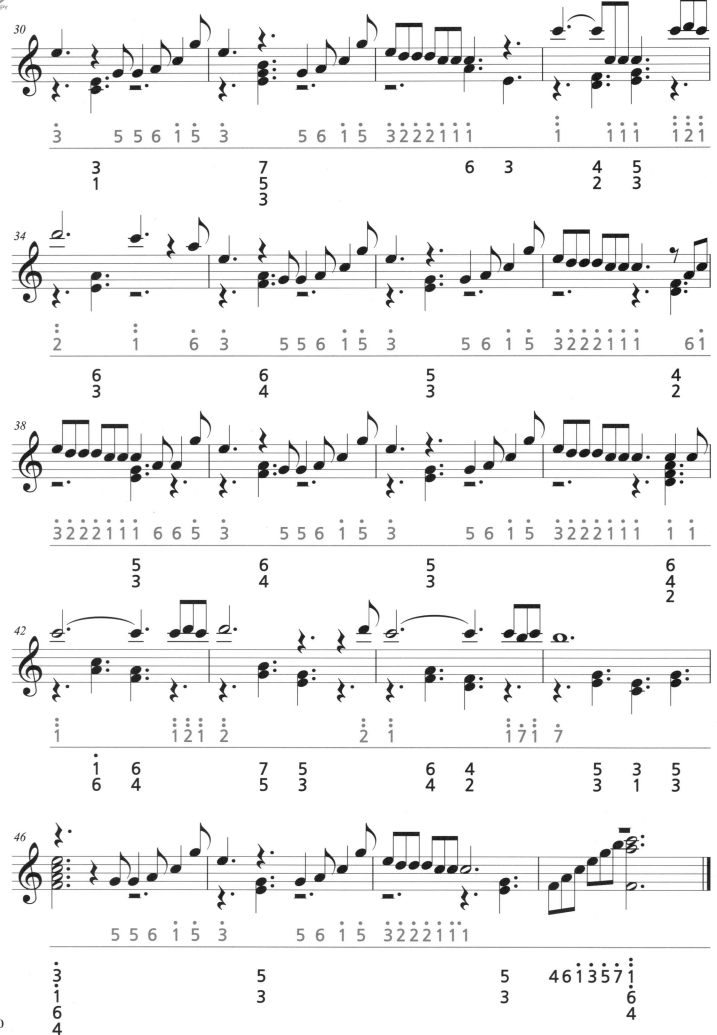

# 제주도 푸른 밤

최성원 작곡

연습용 MR

모범 연주　　　멜로디　　반주

난이도

# Hey Jude

McCartney Paul James, Lennon John Winston 작곡

난이도

★★☆☆

모범 연주

연습용 MR

멜로디　반주

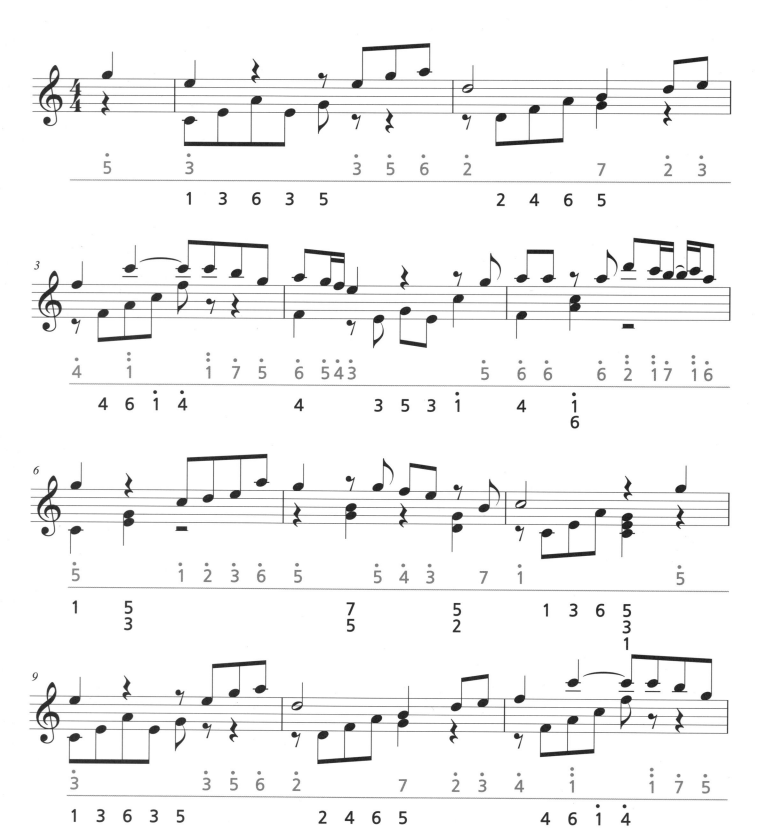

**Q** 연주하기에 좋은 손톱 길이와 모양이 있나요?

**A** 손톱의 길이는 손끝에서 조금 더 긴 것이 연주하기 좋고 손톱의 모양은 각지거나 뾰족한 것보다는 둥근 모양이 좋아요.

**Q** 칼림바를 연주할 때 손톱과 건반이 부딪혀 금속성의 좋지 않은 소리가 자주 나는데 어떻게 해요?

**A** 칼림바 건반을 치게 되면 건반은 진동을 통해 소리를 내게 되는데 손톱과 진동하는 건반이 부딪히기 쉽고, 이때 듣기에 좋지 않은 금속성의 소리가 나기 쉬워요. 칼림바를 연주할 때는 건반을 치고 손톱이 건반에 닿지 않도록 재빨리 손톱과 건반의 거리를 떼는 것이 가장 좋은 방법이에요.

**Q** 칼림바로 예쁜 소리를 내려면 어떻게 해요?

**A** 칼림바를 양손으로 안정적으로 잡고 엄지손가락의 힘을 뺀 상태에서 건반을 미끄러지듯이 연주하면 예쁜 소리를 낼 수 있어요.

# 바람이 불어오는 곳

김광석 작곡

연습용 MR

모범 연주　　멜로디　　반주

난이도

★ ★ ★ ☆

바람이 이리저리 부는 듯한 경쾌한 느낌을 리듬으로
표현하며 연주해 보세요.

68

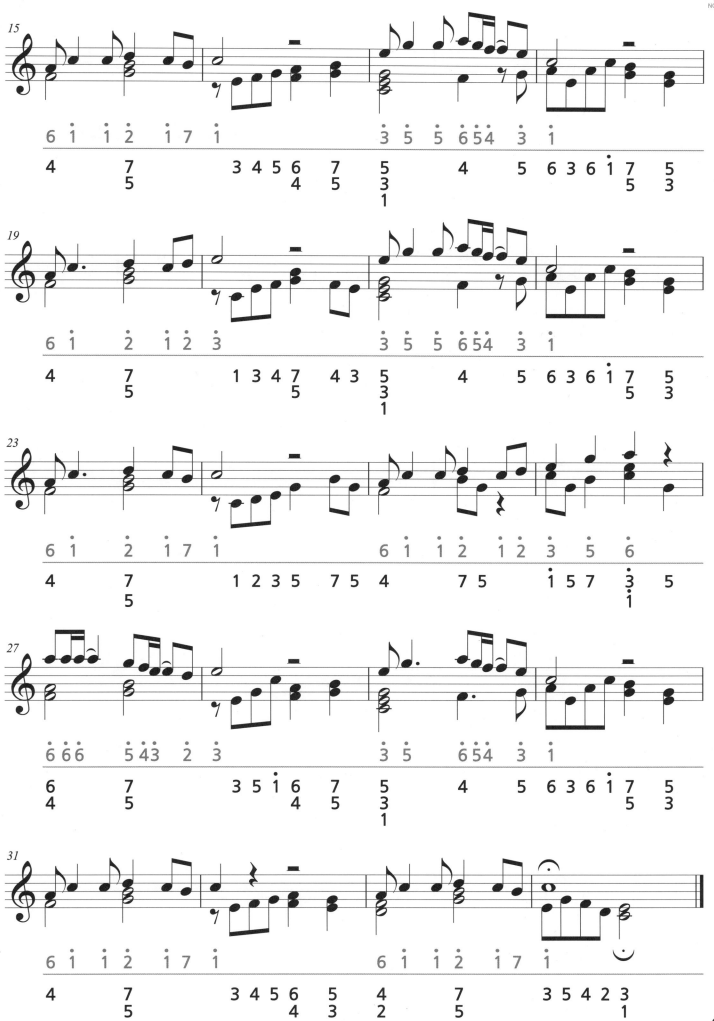

# 카마도 탄지로의 노래

애니메이션 〈귀멸의 칼날〉 OST

Shiina Go 작곡

연습용 MR

모범 연주　　　　멜로디　　반주

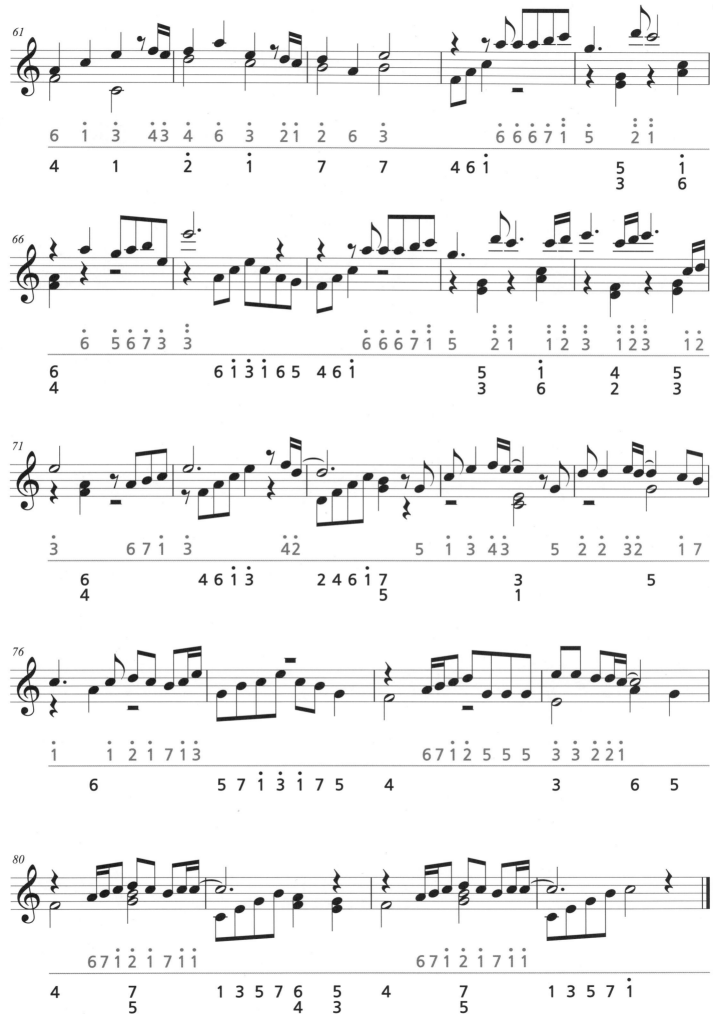

# 이별의 여름

애니메이션 〈코쿠리코 언덕에서〉 OST

Sakata Kouichi 작곡

난이도

★★★☆

연습용 MR

모범 연주　　　멜로디　　반주

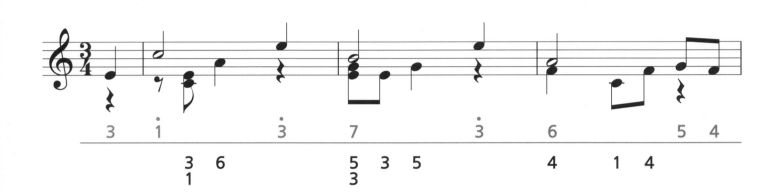

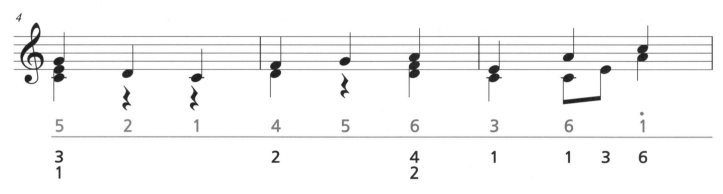

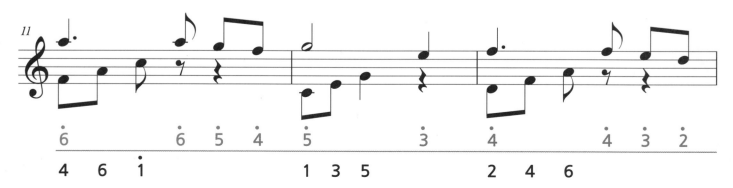

# 별빛 같은 나의 사랑아

설운도 작곡

멜로디와 같은 셋잇단음표 리듬을 주로 사용한 편곡으로, 멜로디와 반주 파트의 흐름을 타며 연주해 보세요.

연습용 MR

모범 연주    멜로디    반주

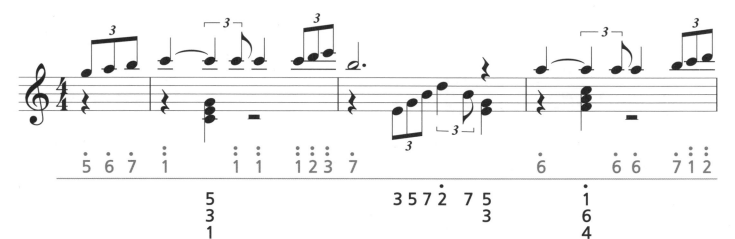

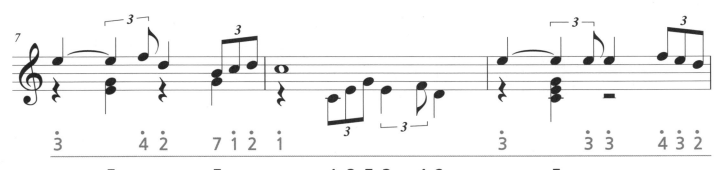

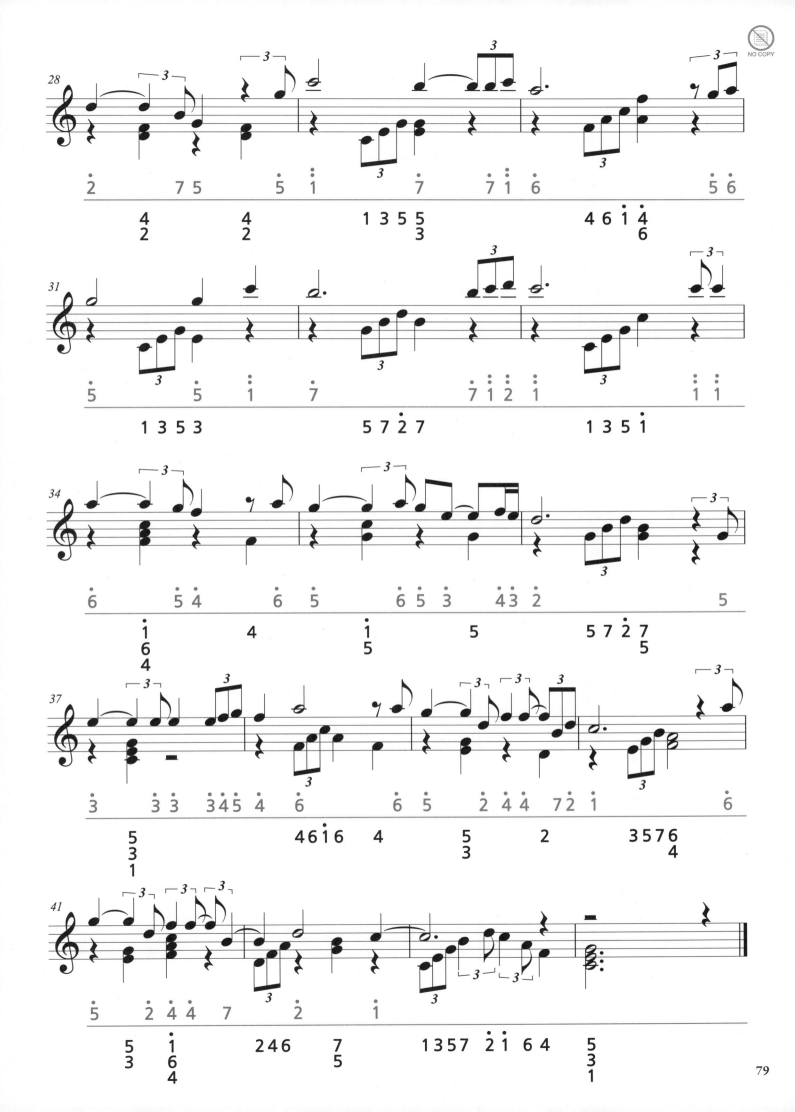

79

# 은파

P. Wyman 작곡

연습용 MR

모범 연주　　　멜로디　　반주

난이도

★★★☆

오래 전 피아노로 연주했거나 혹은 꼭 한 번 연주 해보고 싶었던 클래식 명곡 〈은파〉를 피아노 곡의 느낌이 나도록 편곡했어요. 중간중간 까다로운 부분이 있으므로 천천히 부분 연습을 반복하며 완성해 보세요.

# 결혼 행진곡

R. Wagner 작곡

연습용 MR

모범 연주　　멜로디　반주

난이도

★★★☆

〈결혼 행진곡〉을 칼림바로 피아노처럼 연주해 보세요. 처음 4마디는 원래 박자보다 더 빠르게 연주해도 좋아요. 56마디의 꾸밈음도 멋지게 연주해 보세요.

82

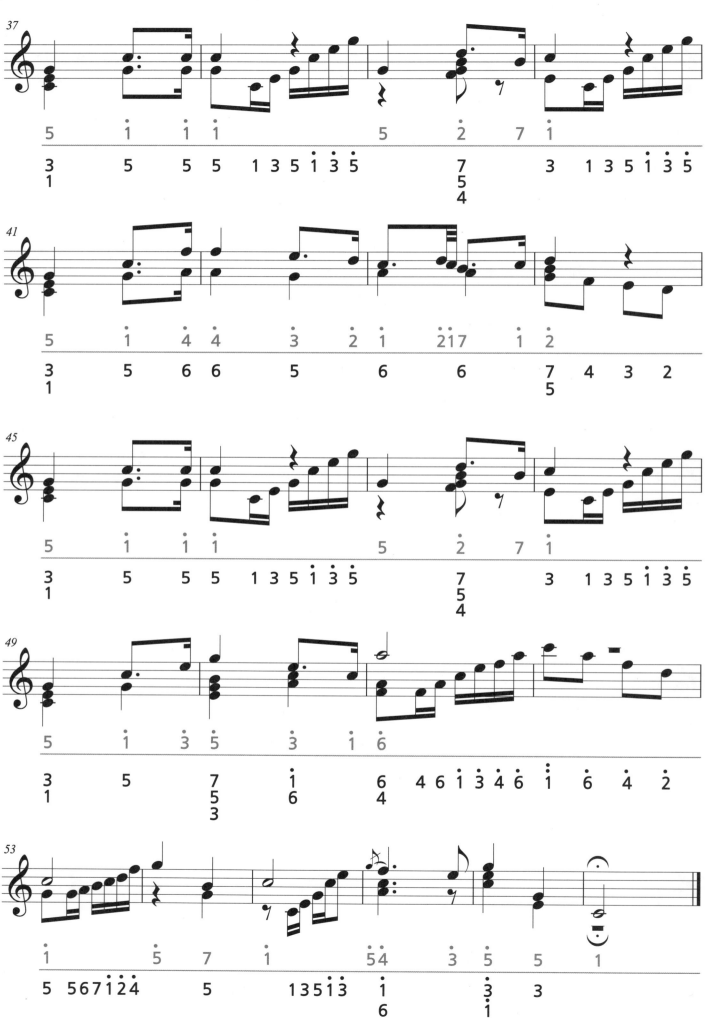

# 걱정말아요 그대

tvN 드라마 〈응답하라 1988〉 OST

전인권 작곡

난이도
★★★☆

# 가을 우체국 앞에서

tvN 드라마 〈슬기로운 의사생활 시즌2〉 OST

김현성 작곡

연습용 MR

모범 연주    멜로디    반주

**난이도**

★★★☆

인트로 부분이 조금 까다로우므로 먼저 반복 연습
해 보세요. 엔딩 부분이 인트로와 동일하게 반복
되므로 인트로를 마스터 하면 엔딩 부분도 어렵지
않게 연주할 수 있어요.

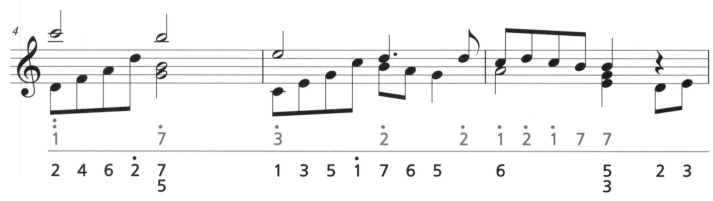

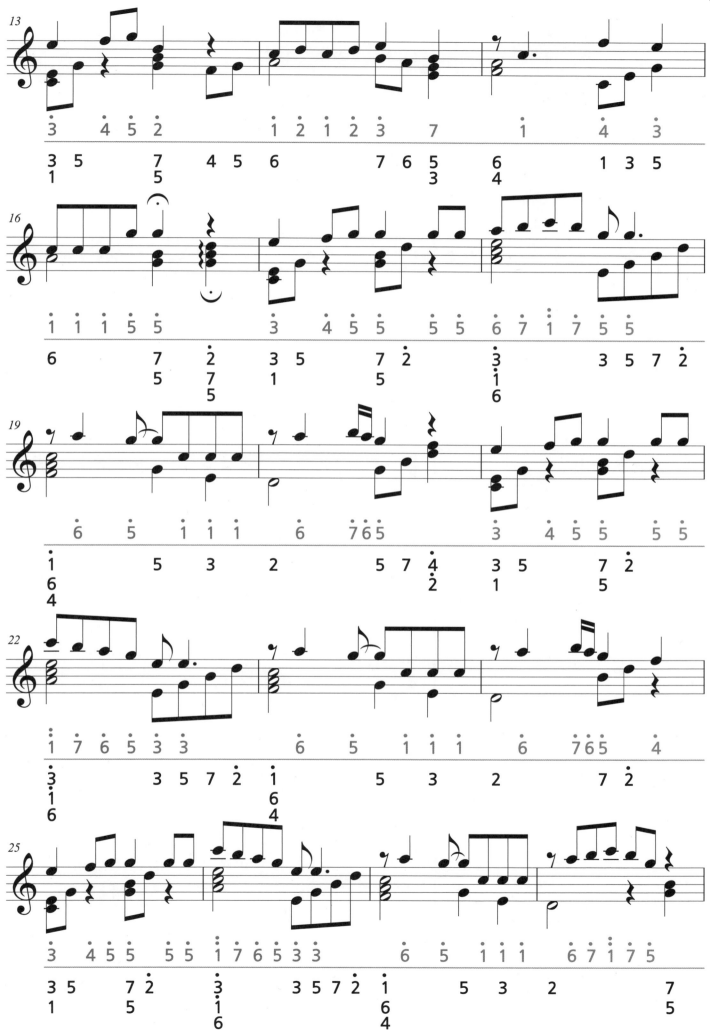

# 회상

tvN 드라마 〈시그널〉, 〈슬기로운 의사생활 시즌2〉 OST

김창훈 작곡

**난이도**

★★★☆

이 책에 수록된 모든 곡은 두 사람이 각각 멜로디와 반주 파트로 나누어서 합주할 수 있도록 되어 있지만 특히 이 곡은 두 사람이 나누어서 연주하기 좋게 편곡 되었어요. 친구 혹은 가족과 파트를 나누어 합주해 보세요.

모범 연주

연습용 MR

멜로디

반주

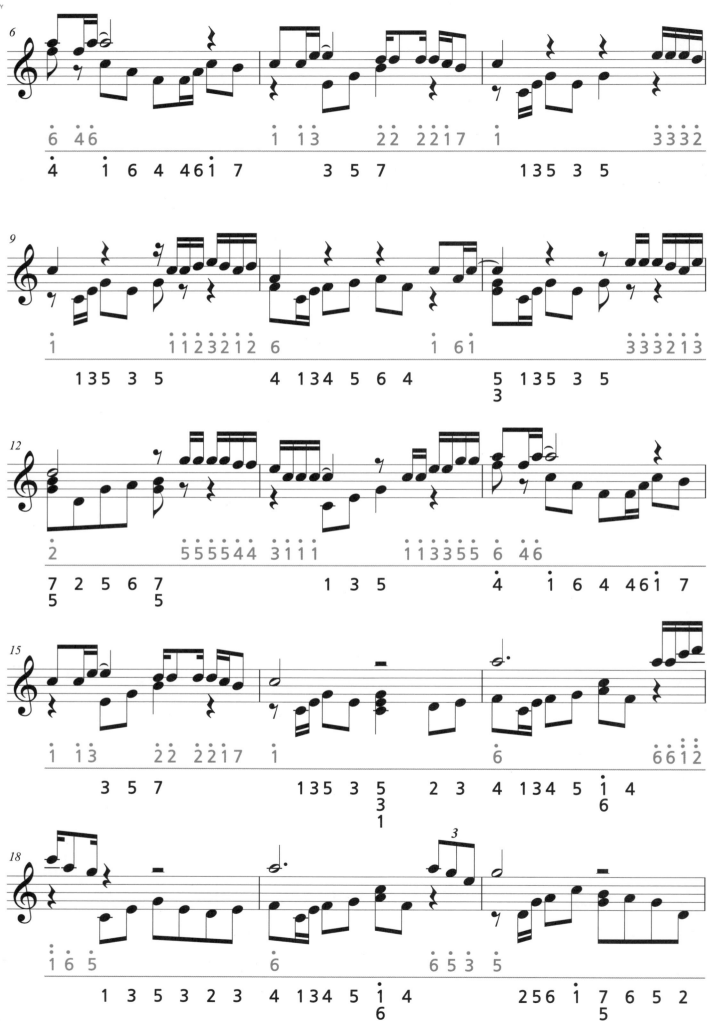

# 사랑하기 때문에

유재하 작곡

연습용 MR

모범 연주　　　멜로디　반주

94

# 혜화동

tvN 드라마 〈응답하라 1988〉 OST

김창기 작곡

난이도

★★★☆

연습용 MR
모범 연주   멜로디   반주

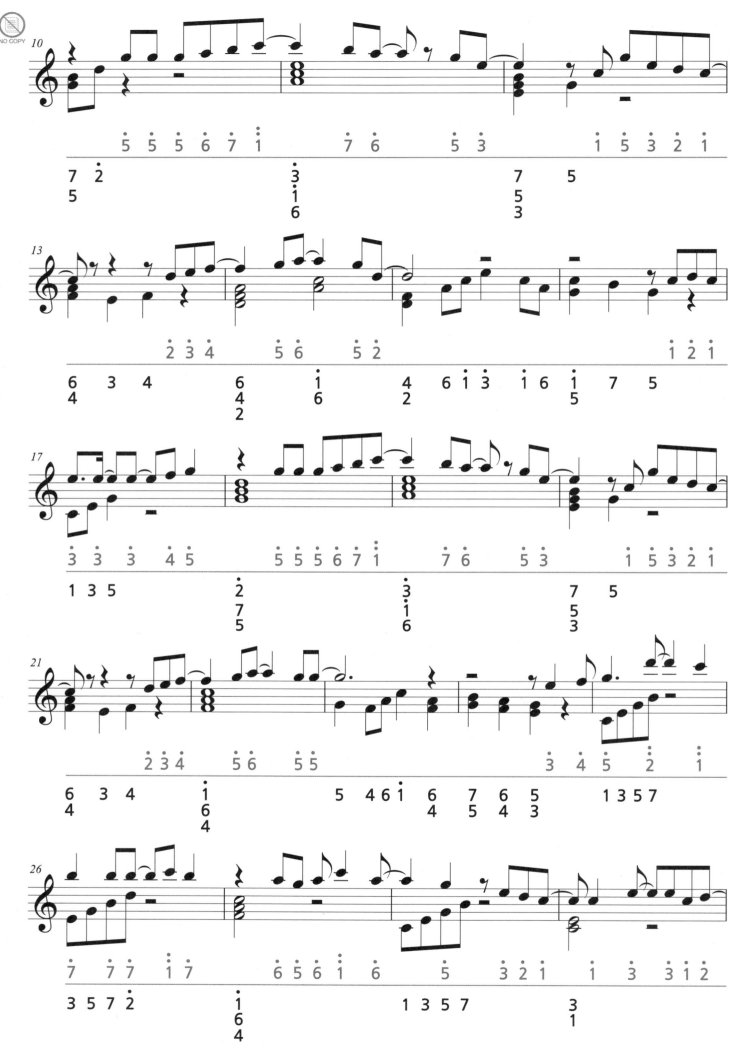

# 유모레스크

A. Dvorak 작곡

연습용 MR

모범 연주　　　　멜로디　　반주

★★★☆

부점에 주의하며 연주해 보세요.

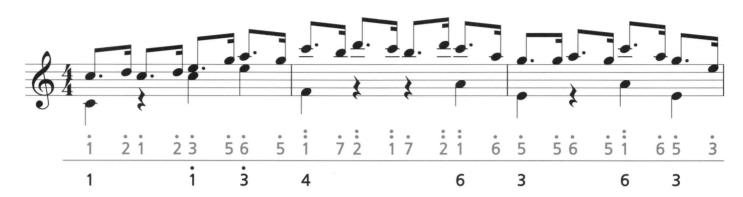

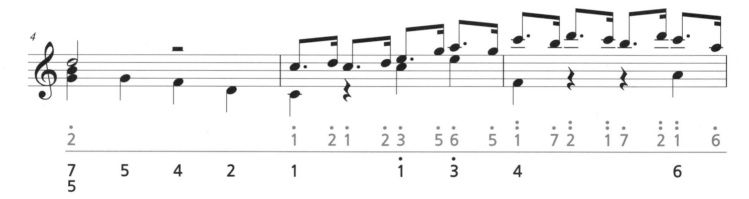

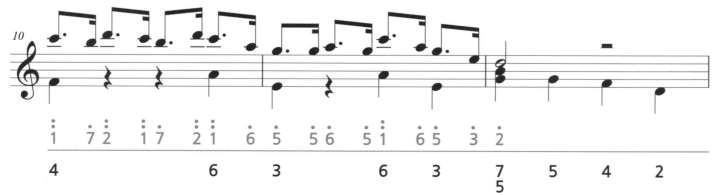

# 아로하

tvN 드라마 〈슬기로운 의사생활 시즌1〉 OST

위종수 작곡

난이도

★★★☆

연습용 MR

모범 연주    멜로디    반주

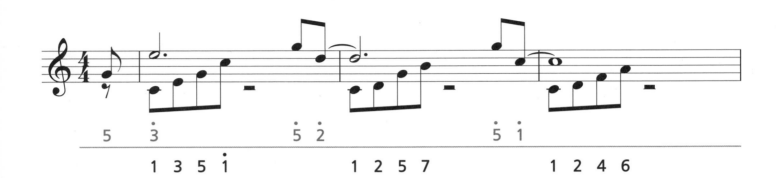

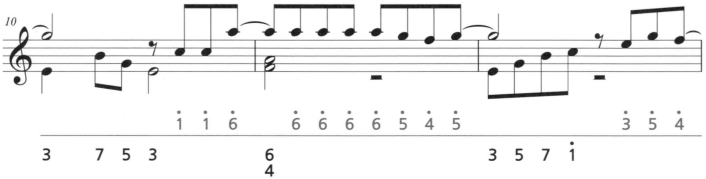

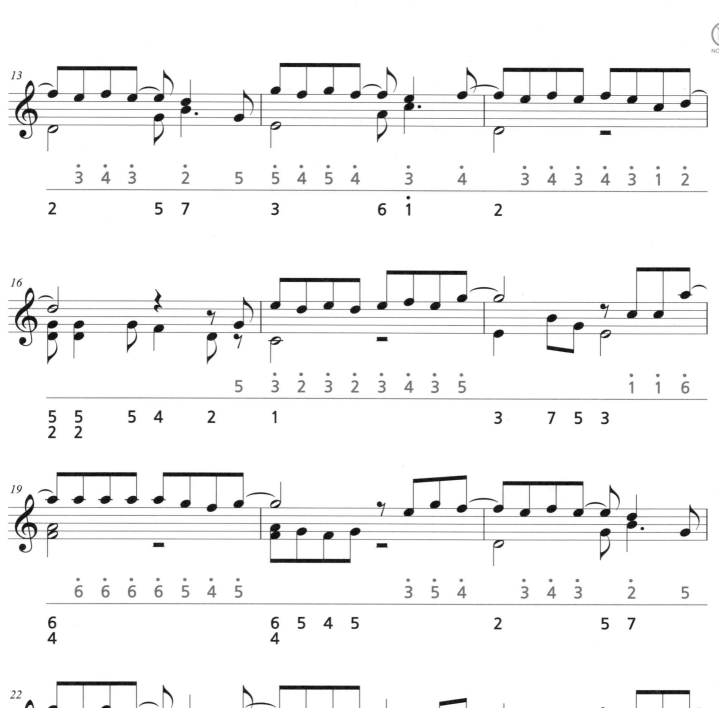

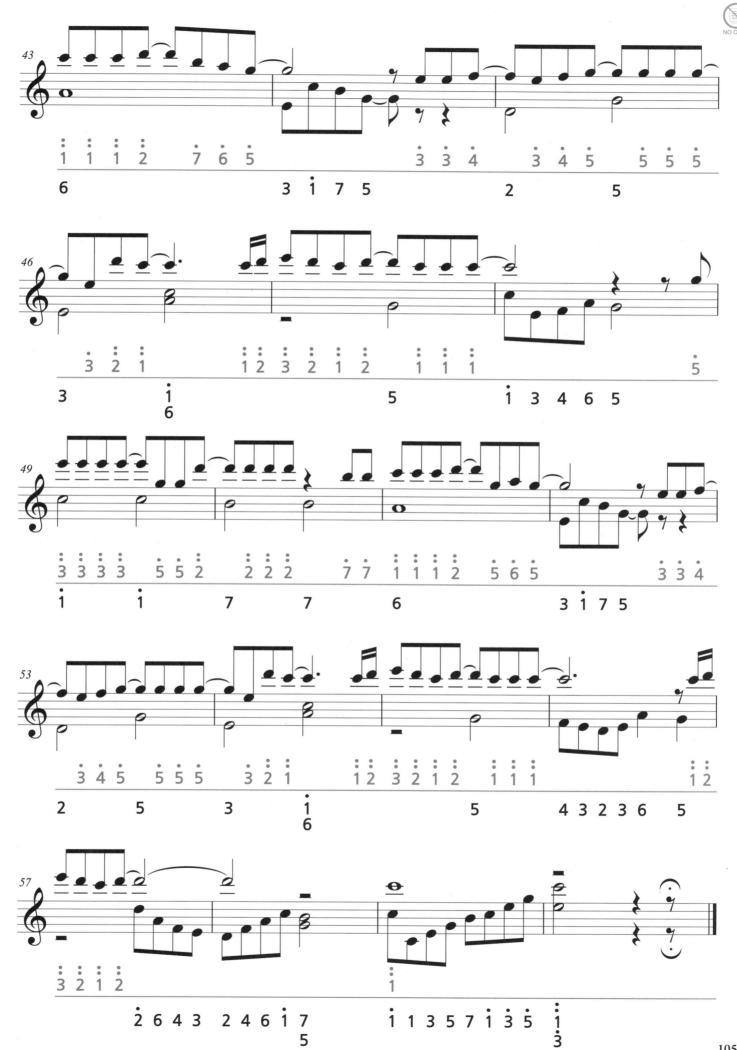

# 낙엽 따라 가버린 사랑

Robertson Donald | 작곡

모범 연주 / 연습용 MR / 멜로디 / 반주

**난이도**

★★★★☆

멜로디와 반주가 비슷한 흐름을 주고받는 느낌의
편곡으로, 두 사람이 멜로디와 반주를 나누어 연
주하기 좋은 곡이에요.

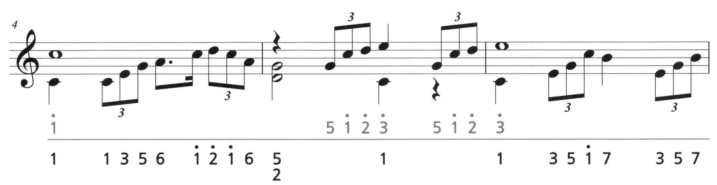

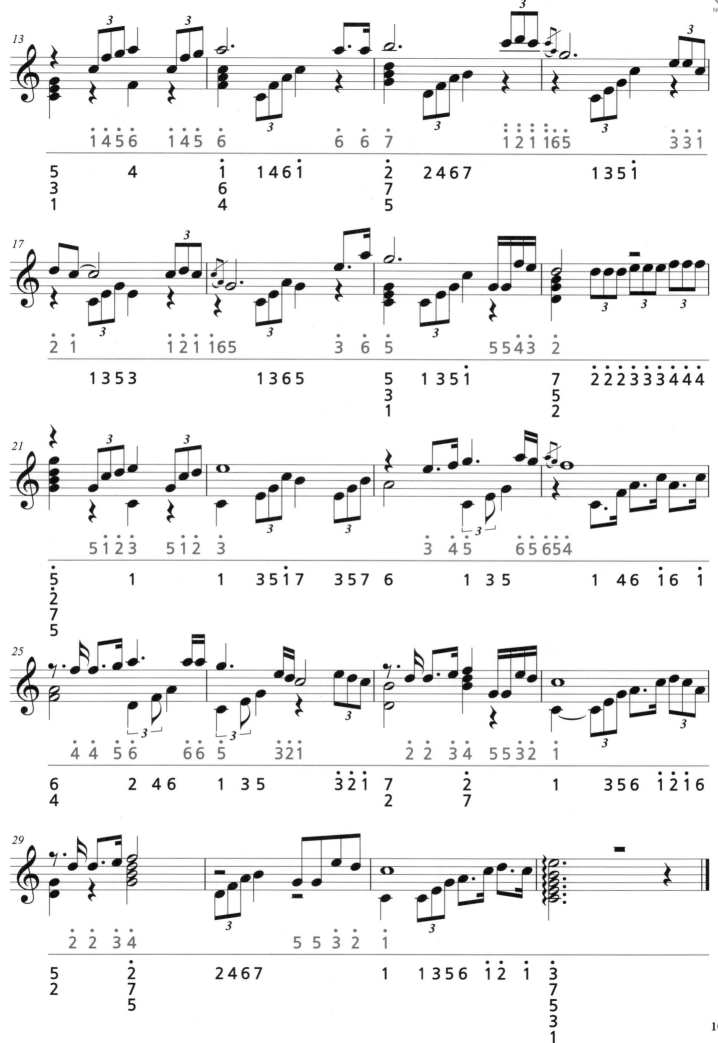

# 소녀의 기도

T. Badarzewska 작곡

연습용 MR

모범 연주　　멜로디　　반주

같은 주제가 다양하게 진행되는 변주곡 형태로,
변주곡을 하나씩 천천히 연습하세요. 각각 연습한
변주곡을 이어서 연주하면 화려하고 아름다운 곡
이 완성됩니다.

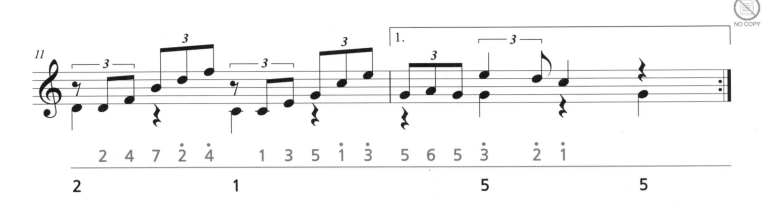

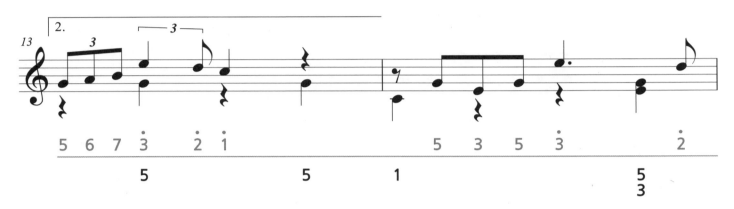

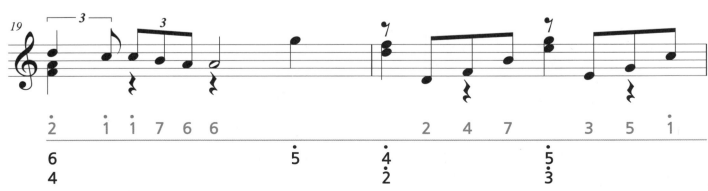

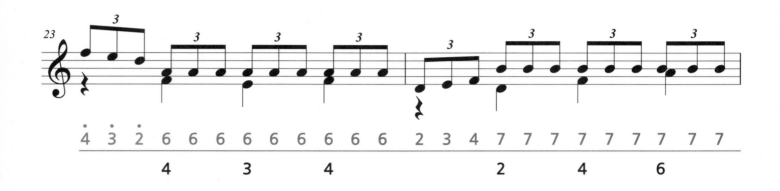

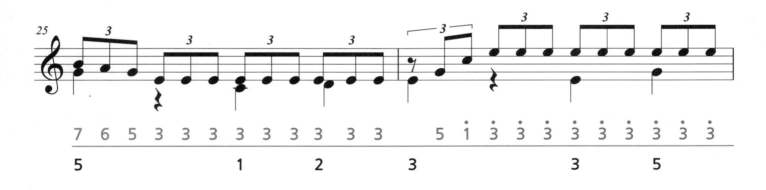

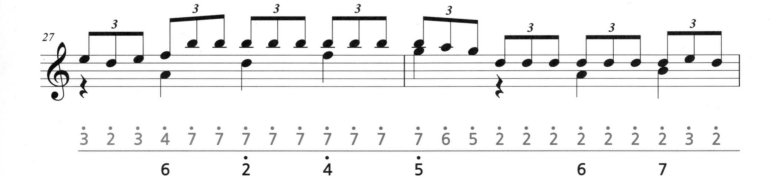

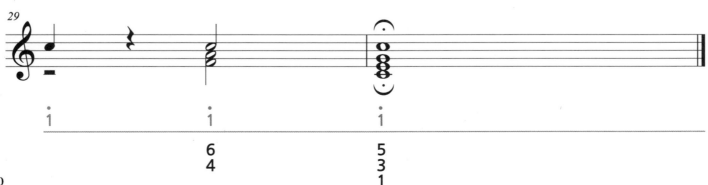

**Q** 글리산도 주법을 어떻게
하면 잘 연주할 수 있어요?

**A**

칼림바 연주에서 여러 음을 동시에 연주하는 주법을 글리산도 또는 슬라이
드 주법이라고 하는데 자주 쓰이는 아름다운 연주 주법이에요. 손가락에 힘
이 들어가면 여러 음을 순서대로 동시에 연주할 때 건반 사이에 손가락이
걸려 여러 음을 부드럽게 연결해서 연주할 수가 없게 돼요. 처음에는 글리산
도 주법이 어려울 수 있지만, 엄지손가락을 건반 위에 올려놓고 힘을 뺀 상
태에서 미끄러지듯이 이동한다고 생각하고 연습해 보세요. 여러 번 반복해
서 연습하다 보면 감각이 익혀져 어렵지 않게 연주할 수 있어요.

**Q** 연습을 해도 칼림바 실력이 늘지
않아서 고민인데 좋은 연습 방법이
따로 있나요?

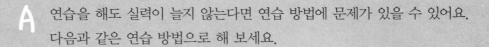

**A** 연습을 해도 실력이 늘지 않는다면 연습 방법에 문제가 있을 수 있어요.
다음과 같은 연습 방법으로 해 보세요.

① 연습을 시작하기 전에 연습하려는 곡(노래, 피아노 연주 등 원곡)을 충
   분히 듣고 따라 부르며 익힌다.
② 칼림바로 연주한 곡을 여러 번 듣고 익힌다.
③ 연습할 곡 전체를 여러 부분으로 나누어서 구간별로 반복 연습한다.
④ 어렵거나 잘 되지 않는 부분이 있으면 그 부분만 익숙해질 때까지 반복
   연습한다.
⑤ 멜로디와 반주 파트를 동시에 연습하기 어렵다면 악보의 멜로디 부분을
   먼저 연습하고, 다음엔 반주 파트를 연습한 후에 멜로디와 반주를 함께
   연습한다.
⑥ 연습을 마치면 녹음을 하거나 영상을 찍어서 자신의 연주를 들어본다.

# 흔들리는 꽃들 속에서 네 샴푸 향이 느껴진 거야

JTBC 드라마 <멜로가 체질> OST

장범준 작곡

난이도

★★★★

모범 연주

연습용 MR

멜로디

반주

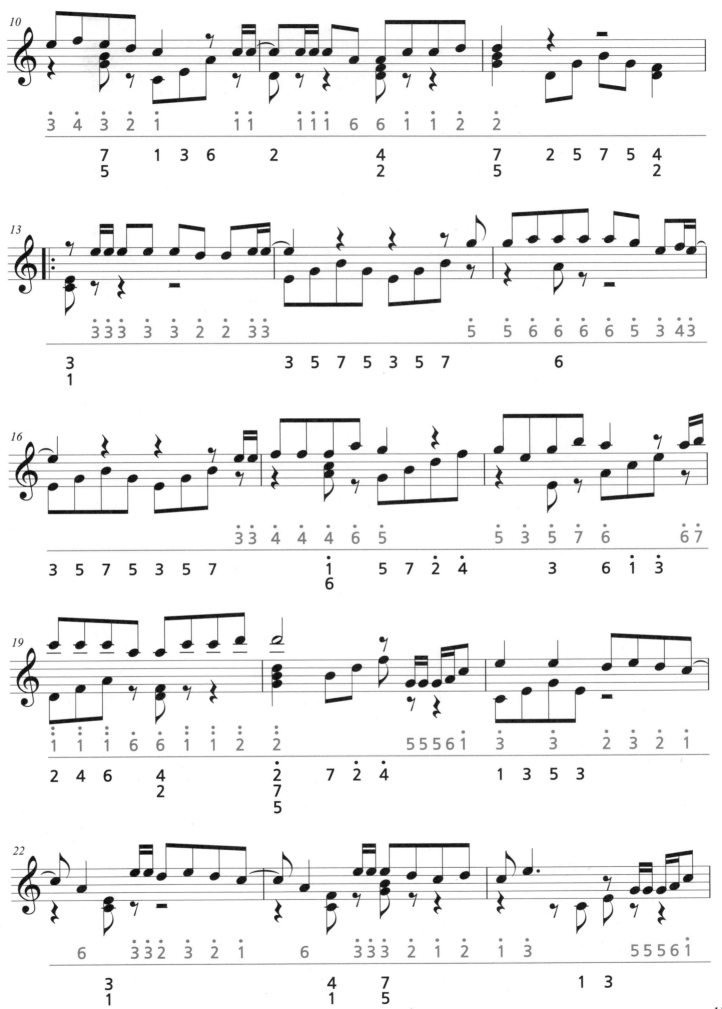

# 가을밤에 든 생각

최정준, 최정훈, 김도형 작곡

연습용 MR

모범 연주    멜로디    반주

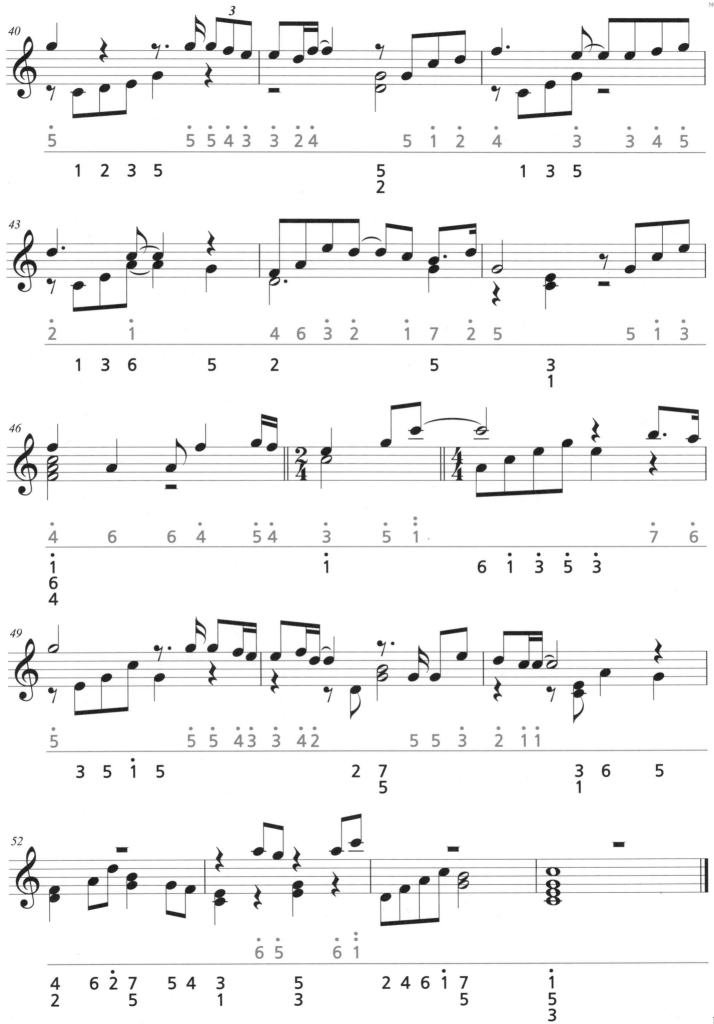

# Love Poem

이종훈 작곡

연습용 MR

모범 연주　　　　멜로디　　반주

**난이도**

★★★★

리듬이 어려운 곡이므로 원곡과 칼림바 모범 연주를
여러 번 들어보고 연주하는 것이 도움이 될 거예요.

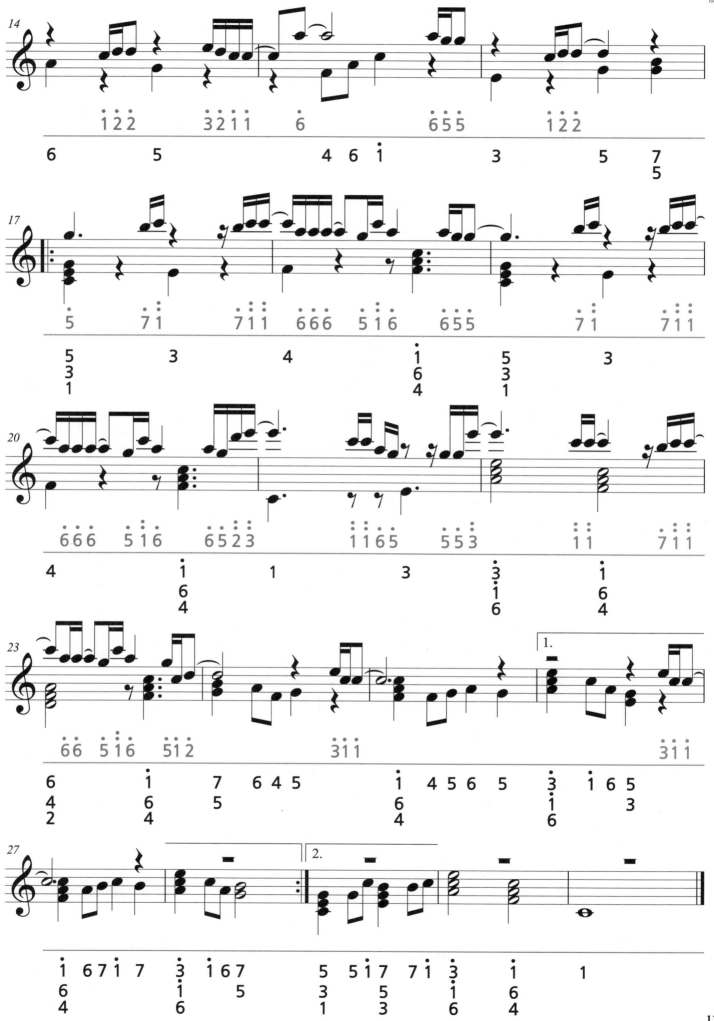

# 엘리제를 위하여

L.v.Beethoven 작곡

모범 연주     멜로디     반주

**도전**

**크 로 매 틱**

30키 이상의 반음이 포함된 크로매틱 칼림바로 연
주해 보세요.

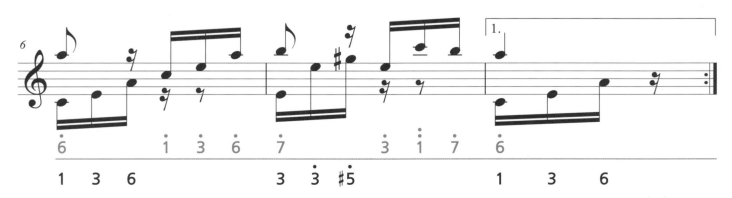

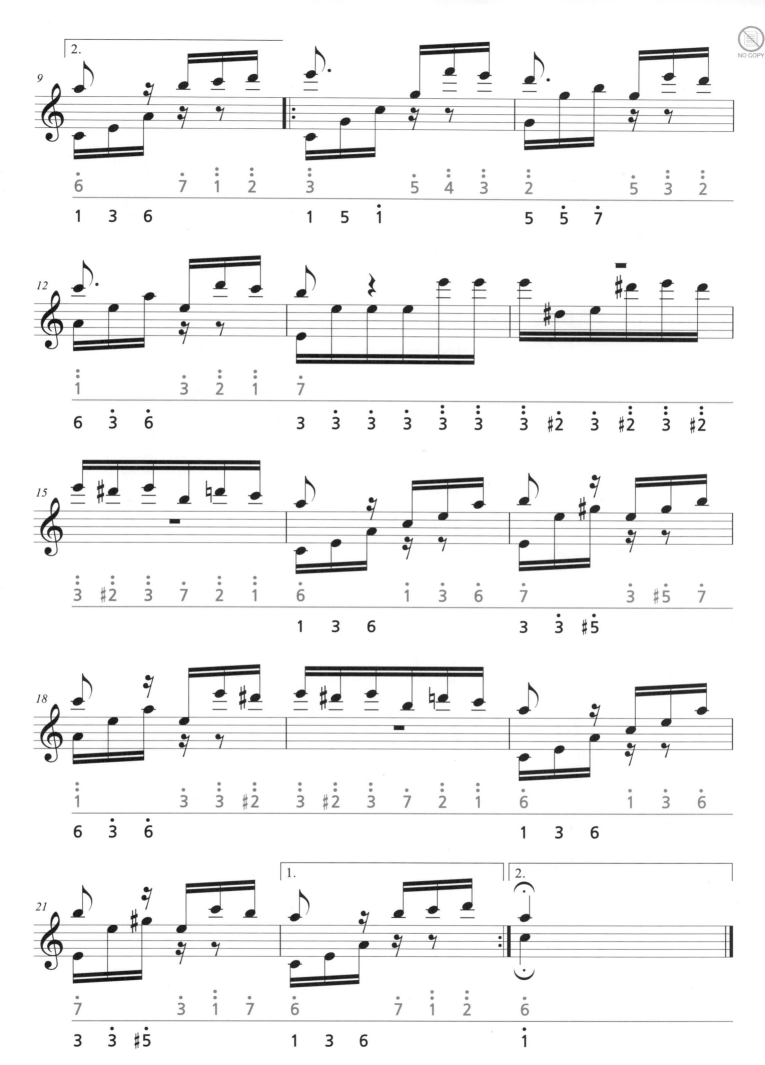

# 인생의 회전목마

애니메이션 〈하울의 움직이는 성〉 OST

Hisaishi Jou 작곡

연습용 MR

모범 연주     멜로디     반주

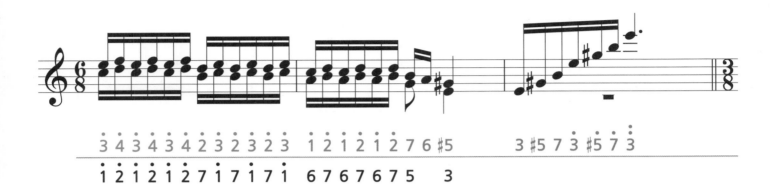

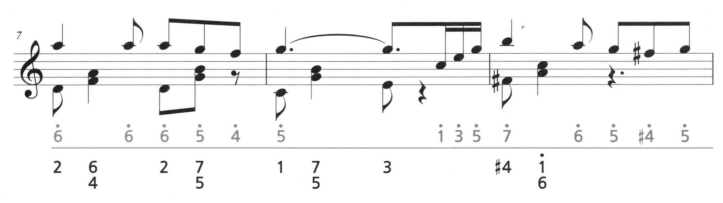

저자
**조이 칼림바(이희재)**

· 칼림바 연주자와 편곡자로 활동하고 있으며
유튜브 'JOY Kalimba School 칼림바 연주와 배우기' 운영중

**저서**
『칼림바 하나로 K-POP』(공저)
『칼림바 하나로 OST』(공저)

악보를 몰라도
숫자만 알면
칼/림/바
K·A·L·I·M·B·A

**발행일** 2021년 8월 10일
**저자** 조이 칼림바(이희재)

**편집책임** 윤영란 · **디자인** 김성진 · **사보** 정유진
**마케팅** 현석호, 신창식 · **관리** 남영애, 김명희

**발행처** 스코어
**발행인** 정상우
**출판등록** 2012년 6월 7일 제 313-2012-196호
**주소** 서울시 은평구 증산로 9길 32 (03496)
**전화** 02)333-3705 · **팩스** 02)333-3748

**ISBN** 979-11-5780-324-8-13670

이 책의 수록곡들은 저작권료를 지급한 후에 출판되었으나, 일부 곡들은 여러 경로를 통한 상당한 노력에도 저작자 또는 저작권 대리자에 대한 부분을 찾지 못하였음을 알려드립니다. 저작자 또는 저작권 대리자께서 본사로 연락 주시면 해당 곡의 사용에 대한 저작권법 및 저작자 권리단체의 규정에 따라 조치하겠습니다. 태림스코어는 저작자의 권리를 존중합니다.